Ni...

...by

Liam Logan

Illustrations by

Billy Mawhinney

To the memory of
James Young

ISBN number 978-0-9928814-2-9

© Copyright 2019. All rights reserved.

Published by Galdanagh Press

e: galdanagh.press@gmail.com

Printed by McCord Printing Company

Introduction

Like many people round the world, we pride ourselves on our possession of a unique sense of humour. I have tried in my way to add to the gaiety of the nation with these rhymes and I trust folk find them enjoyable. I am especially grateful to Billy Mawhinney for his wonderful illustrations which add immeasurably to the impact of the rhymes.
I hope you will enjoy the reading as much as I enjoyed the writing.

What Others Have Said

James Fenton "it could only be the work of a native speaker... familiar with the shades of meaning, subtle or blunt, the nuances and the variations of emphasis that can make the same expression serve as a simple comment, a cautionary aside, a word of approval or a total put down. The style is... mostly light-hearted and the native speaker, especially the exile... and the reader with little or no knowledge of genuine Ulster Scots will enjoy"

Dr Ian Adamson OBE "one of our excellent modern Ullans poets, a worthy successor to the Rhyming Weavers... one of Northern Ireland's leading Ulster-Scots enthusiasts and commentators. Liam has made a significant contribution to the recent interest in the language as a native speaker, broadcaster, journalist and writer"

Dr. Cecil Linehan MBE Founder, All Children Together "Liam Logan brings to light the depths and riches of our Ulster-Scots language and culture, our shared identity and the long established links between Ulster and Scotland"

Contents

The Return o John Munn

If ye minded ivry minute o yer life, ye couldnae think
Aal ye mine is bits and odds, whiles it's jist a blink
There stuff that's kina hazy an ither bits that's clear
Here's a tale haes styed wae me for nearly fifty year

McClements toul his story comin back frae some oul night
We wur aal jammed in a motor squashed thegither brave an tight
Nae in car entertainment, nae heater, only crak
An I can mine thon story gye an clear when I luk bak.

McClements' turn had come aroon, tae spin a yarn or two
Says he Ye'll naw believe it but this story here is true.
O aal the jobs I iver dane, there wan I couldnae thole
Apprentice undertaker tae a boady Uel McDowell.

Thon furst day's undertakin wus the last I iver done
A shepherd in the mountains by the name o Johnny Munn
A nighbour got him deed in bed in naethin but his socks
They sent for Sam an me tae get his boady in a box.

He'd lived up on thon hillside aal his working life
Too busy lambin yows an sich to get hissel a wife
Thon boady had a powerfu hump an crooked in ivry limb
He wudnae fit intae the box McDowell had brung wae him.

The hoose was wee, nae size ava, the stairs was steep an thin
We got thon coffin up the stairs an tried tae jam him in
His fit went doon, his heed cum up, the same the ither way
We tried it ivry road we could, wur heids was near astray.

So we dressed him an we pressed him an moved him tae the stair
Doonstairs some neighbour weemen pit a soart o wake on there
As we come roon a gye tight turn, oul Johnny near fell oot
But we spaltered doon the stairs ok an laid him at the fit.

McDowell he tuk a hemmer an he nailed his claes a flet
An he tuk a beer gye handy for his thrapple needed wet.
Wae the yin thing an anither sure we had couple mair
An a bite tae eat forby for thon oul boy had wrocht us sair.

A wheen o nighbours waked him weel wae sandwiches an drinkin
An shane ye cudnae hear yersel for chat an bottles clinkin
The oul wake yarns, the bits o crak, some eyes were gye an glazed
When in the dour come Reverend Moore, ye cud see he wasnae
plaised.

He guldered, "Yes are sittin, drinkin, eatin, here deed sowl
An Johnny Munn is lyin there his body harly coul.
Ye mocked him hard in life" he gowled "Ye lached behin his bak.
Haes crookedness was made intae a target for yer crack.

Ye caaled him Humpy Dumpy an thon Oul Humpy Heed
An noo ye sit an yarn an drink laik he's naw ower there deed".

"The steuch o your hypocrisy wud mak a boady boak
I only hope ye mine the times ye made John Munn a joke.
A kindly word, a helpin han was missin whun he leeved
I doot that this would be the way he wanted tae be grieved".

A lock o whited sepulchres, clean rotten tae yer herts
A gether up o naebodies, a wheen o cheeky blerts
Ye's haesnae ony right tae sit an yarn wae drink an mate
An Johnny restin in his box is aff tae meet his fate

But then an odd thing happened; I heerd the tearin cloths
McDowell's wee nails had ripped Munn's claes an lowsed him in
the box
He ris up frae the coffin an he gin a mighty groan
He seemed tae sprachle forrit an he lot anither moan.

McDowell, the only man in there that kep a level heed
"It's jist trapped gas" he says tae me, "it happens when yer deed".
But ivry ither boady there ris up an run fer oot
An the screamin an the yellin could be heerd for miles aboot.

The Rev. Moore he went tae rin but cudnae reach the dour
Haes lang blak coat was cleeked on tae a nail stuck in the flure.
He lot a gowl an guldered as he tried tae get it loose
He pulled an tried tae free himsel, tae get oot o the hoose.

He must a thocht oul Johnny Munn was houlin brave an tight
But the very reverend gentleman was pittin up a fight
Wud Johnny drag him tae the grave or tak him doon tae hell?
Oul Rev. Moore he rowled his eyes an lot a powerfu yell

"Leggo o me this minute, ye humpy heeded cur".
The reverend made a sprachle as he tried tae reach the dour.
"Release me noo, Oul Humpy, ye crooked twisted blert"
But aal that Rev. Moore heared wus the thump o his ain hert.

Ye dirty humpy divil, may yer fate be doon below,
May Oul Nick be oot tae meet ye wae haes pitchfork aal aglo."
Wae that the Reverend's claes they ripped, he brusted an got loose
An niver stapped haes rinnin till he made his ain wee hoose.

Though aal the folk had vanished, McDowell an me wur there
We got him in the in box again an tuk him tae the car
The hearse was parked in Johnny's yard, we loaded him an went
An tuk him tae the church below an left him in the front.

I quet McDowells, McClements says, I niver heerd again
O Rev Moore or Johnny Munn or his hoose up the glen
I doot thon undertakin job jist wasnae meant tae be
But thon's the tale o Uel McDowell, oul Johhny Munn an me.

McClements finished takkin but naw yin word was heered
The maist o folk was sleepin an the rest was sorta feared
It's been a lock o years since then, it seems laik yesterday
An I'll mine it jist as clearly til they put me in the clay.

Granny We hardly Knew Ye

Me da was in the Orders, the Orange an the Black,
In haes youth, an Army man as weel.
He got me an the brither tae houl the Lodge's poles
When we marched alang the road an tae the Fiel.

He whiles dane ither odder things, was while's oot gye an late
We niver axed an naebody was tellin
He quarely laiked a bucket, the odd time ris a row
But we wur bigger got an fit tae fell him.

Me granny lived two streets away, they thought she wasnae daein
Me, Uncle, Da, an brither aal went roon
Waitin for the final gasp tae slip frae Granny's lips
What happened nixt is why I writ this doon.

She sut bolt upright in the bed an lukked at aal o us
Her hair aal wild her blue eyes wide an starin
Says she "I haenae lang tae go but heed my dyin words
I need a priest cause I got Catholic rairin!".

Me da near choked, the uncle tae, she fell back on the bed
Says he "She's laik the colour o a sheet".
Me Da says "Go an get a priest. The Minister will know"
An I run tae the manse jist doon the street.

It tuk a while explainin tae the vicar in the manse
How an Orange hoose laik oors had sorta turned
Cause he himsel was Chaplain tae oor ain wee Orange lodge
An this lightning shift had got him gye concerned

But he got the picture at the en an phoned tae the pineapple
An soon a priest was ootside on the street.
Tall an thin an boney boady wae nae whiskers on haes chin
I think he wunthered what he was tae meet

The da pult him in an started tae tak
How haes mither was needin his prayer
She wanted his comfort in her final hour
Past King Billy, he walked up the stair

He prayed gye quately tae Granny.
He touched her het broo wae haes han
He caaed the da ower an he whispered
An toul him o granny's plans

A brave lang while bak she got merriet
An come tae the toon wae her man
They baith niver mentioned her rairin
An her love o Amhrán na bhFiann

She gin a grunt an breathed her last, me da axed what she said
The priest allooed she come fae South Armagh.
She wants tae be buried in the femly grave at hame
I seen the uncle's funny luk at da.

We organised the daeins, the priest was quarely gunked
He'd niver had an Orange mass tae dae
But granny got her say, tae the chapel right away
An we got ready for the Papish way.

Efter aal the services, they put her in the hearse
The grave was ower fifty mile away
An Armagh border graveyard wae graves in North and South
We aal set aff tae 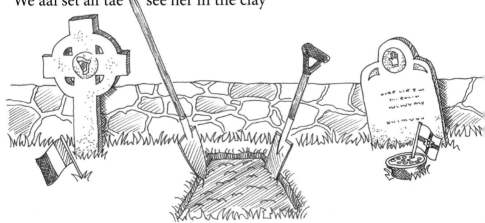 see her in the clay

We driv the road tae Dublin, turned aff near Newry Toon
The undertaker knowed what road tae go
Way oot in the country, we turned an empy lane
Seen forty polis wagons in a row

Two choppers watched proceedins fae their spot up in the sky
I seen a hunner peelers, mebbe mair
We wur quare an nervy, laik kittens watched by doags
Till Granny's box was lifted wae due care

The uncle an the da an me we lifted fae oor side
The ither half was tuk by local men
Mebbe Granny's nephews or ithers fae her side
A quare big crowd was waitin at the en

It turns oot granny's femly was connected in some road
Tae local folk gye high up in the ranks
O interest tae the peelers an MI5 besides
For smuggling fags an drink an robbin banks

They got oul Granny planted, we declined a cup o tay
An headed back tae Lord Street, tae wur hame
An tried tae think exactly what had happened tae oor Gran.
We wondered if oor life wud stay the same.

Me da he lef the Order alang wae me an Glenn
They put us oot, we didnae start a fight
The Apprentice Boys dane laikwise, the Black men jist the same
The da had nae mair traipsing oot at night

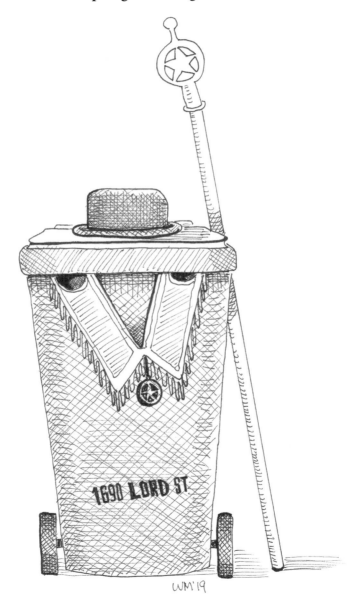

He tuk it bad tae start wae an then he come aroon
Become some sort o communistic Red
He niver mentioned marchin in parades or tae the Fiel
Aal that stuff was banished frae haes heid

Near the last I seen him, me ma an him were aff
Tae Dublin free, the Enterprise Express
Tae get an Irish passport which was free tae him as weel
He died an Irish citizen, nae less.

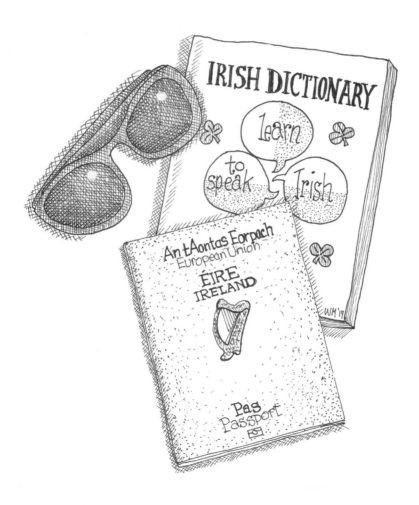

The Piper an the Drummer

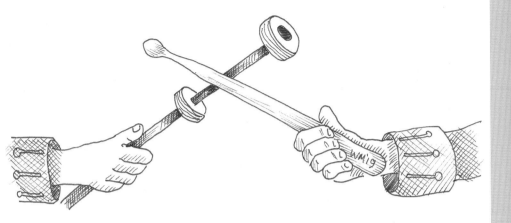

A piper an a drummer had a sorta faalin oot
They argied who was better for the band
The hale thing started civil but then tempers kina frayed
An soon the thing damp near got ooty han.

The piper says "We houl thon tunes",
We learn them aff an play".
"We tickle aal alang them pipes
An blow thon bag aal day".

"We hae tae hae a lock o wun
Ye cannae smoke an stuff.
Cas if ye did, ye'd loss yer breath
An soon be ooty puff".

"The pipers hae tae play an march
An keep a steady beat;
We hae tae play an move an pech
An keep time wae wur feet"

Weel the drummer started laughin at aal the piper said.
He says "Ye daenae keep the time, ye know
The drummers is the only boadies fit tae dae that work
Ye cannae hae the band aal marchin slow.

The drumbeat is the heartbeat, the centre o the thing
It sets yer blood a pumpin an yer feet
Ye feel it in yer breeshtbone, a thumpin in yer chest
The hale band march thegither tae that beat.

"But music aye haes charms, they say, tae soothe a savage breesht
An music lingers langer in yer soul"
The piper says "Its music tae ye'll mine fer aal yer life
When you're naw fit tae mine much, getting oul."

"Yer mebbe richt" the drummer says "but bein even handed,
We hae tae recognise yin needs the ither
If ye brattle or ye blow, a boady haes tae know
The pipes n drums is best when played thegither".

So the boys was aal guid freens again an swore nae mair tae row
They baith agreed tae play their parts wae joy
But in their quater moments, they baith aye thoucht the same
"I'm a better player than thon ither boy".

The Local District Master

The local District Master took a danner doon the toon
His hair was gye lang got an needed cut
So he fun a handy barbers an he waited in the queue
The barber caa'ed his turn an doon he sut.

The barber says "Ye're getting tidied up before the Twelfth?"
"Am naw" he says "Am gan tae miss the day".
"A'll naw be at the Fiel" he says, "nor walkin doon the road,
The year the wife an me'll be away".

"For nearly forty year or so, A haenae missed a Twelfth,
Nae metter what the weather dry or wet
But the year I hae retired an she haes tae hae her spake
The Twelfth the year we're gan tae somewhere het".

"Boysadears", the barber says, "yer gan tae fin it odd
Naw see yer brethren, femly, on the road
A'm gyely gunked ye'll naw be there!
The local District Master aff abroad!"

"Italy is where we're gan, she loves thon Roman art
She loves thon statues, paintins an mosaics
I laik it aal mesel oh aye, its powerfu stuff tae see
But she wants tae see it aal, for heavens sakes.

We're aff tae Florence, Turin tae, Sienna, even Rome
We'll see the Leanin Tower an hae a cruise".
The barber sned away, he cudnae hardly see or spake
Wae shock at aal this disconcertin news.

The cuttin done, the Maister left tae dae his ither chores
The nixt week him an her flew tae the sun.
Anither cuppla weeks or so, they're bak at hame again
An doon the toon he tuk anither run.

He seen his barber oot aboot an stapped tae hae a yarn
"Yer hame again. What did ye see ower there?"
The Maister lukked "Twas powerfu guid, an gye het tae
For two lang weeks we didnae hae a care".

We seen Michelangelo's David, an aal Cellini's gold
We sailed in big blak gondolas tae the Bridge o Sighs
The Leanin Tower o Pisa tae, went doon the Spanish steps
In Florence seen Colossus, sich a size

We went tae see the Vatican, tae finish up wur tour
Peter's Square in the centre o the toon
An wannered wae oor open mooths at aal we heerd an seen
The Pope himsel was yarnin, wakkin roon

He come in oor direction an he spoke tae yins near me
Folk had bowed their heids an I did tae
An then he come tae me an spoke in English clear
So I unnerstood what the Pontiff had tae say

He come fornenst, I sneaked a gleek
A luk come ower his face, baith shocked an sad
He stared gye hard and spoke gye clear
"Who in God's name cut yer hair that bad?".

Calendar Poem

Whun there's mair rid nebs nor midges
An ye need yer wellin'ton boots,
The snow is lyin roon in wreaths
An the snowdraps ir keekin oot.

Whun young yins thouchts turn tae coortin
It's nae tim fur fear o the cowl;
The yows is ready fur lammin
An the hird haes nae time tae scowl.

We wunner if Paddy micht help us
Heel ower the dry side o the stane;
They're cloddin the britchin on horses
For there's plooin that haes tae be daen.

Mair aften than no there's a brave plump o rain,
It's sae guid fur the gairden an fiel;
The green o the hedge an the floors al aroon -
Och daesn't the country luk weel!

The ha's a' in bloom, the epple tree tae,
An the cherry tree's castin its floors;
Way a lassie ye laik in a place ye laik
A minute can streetch in tae oors.

Simmertim's here an school's near ower,
There's peats tae be cut in the moss;
There's fittin an sweetin an naethin for pie -
Sich labour wud mak a saint cross!

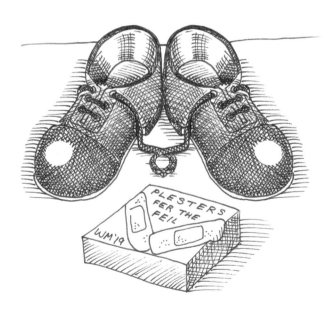

Them yins that mairches awa tae the fiel
Can work up a druth thru the day;
Whur ither yins gan a bit farder awa
Ir aiblins a bit druthy tae.

Thon peats that ye cut in May or in June
Is dry enugh noo for the stak,
An gin that the rodden's naw slunky or wat
The folk'll be cairtin them bak.

The simmer is ower, the holiday by,
The weans hae a gye heavy hert,
For it's bak tae school way pencil an piece
An a bag big enugh for a cairt.

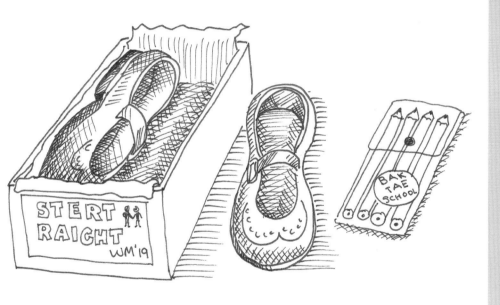

Scobin at epples an getherin prootas
Yer fingers a' blue wi the cowl,
Yer bak doobled ower wi wile stoons o pain -
Jist sixpence a bag, deed sowl!

Misty an reekie an nae time til dark
But gled o the fire an the heat;
Feared o the wraiths when ye hae tae goot
Tae the shade for an ermful o peat.

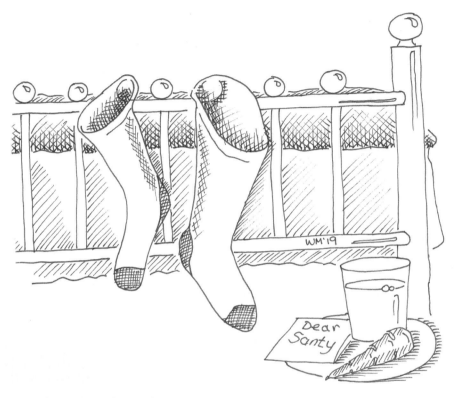

Santy's the boady tae bring yiz yer toys
We see the weans wile joy again,
Weechils an cutties an hobbledehoys
Micht aiblins mine thon ither Wean.

Oul Year's Nicht

How in the name o bleezes did it slipe away sae quick
It's naw lang frae the Oul Year's first cock crowed
There wasnae that much tae it when ye see the ricmatic
The big lock's naw worth minin ony road

Ye think o guid times by an whiles o yins that's naw here noo
Ye hae a lach, a dram an whiles, a feed
An whiles ye mine a funeral, it's sad tae think they're gone
But ither yins, ye checked tae see they're deed

So lift a gless, a bit o crack an hae yersel a smile
They're gone but naw forgot by us behine
The thouchts o them can hing roon for a brave lang while
Yer aye aboot when ither people mines

Ye daenae feel that oul yersel but things is getting wake
Ye cannae shave wae blades fir dra'in blood
Yer han is naw as steady sure an whiles there be's a shake
Ye cannae find yersel a dacent spud

Ye ax yersel a question, was thon Oul Year yin I'll mine
When I'm lyin wae the Reaper gye an near
Or mebbe this young New Yin will mak ye lauch an pine
Yin tae mak ye think bak gye an clear

Suppin ower much drink the nicht whiles maks a boady sad
It's better smilin, lukkin bak an forrit
We'll say thon Oul Yin's naw tae bad
We'll face the New, there naethin else be's for it

A Kailye frae Santy

[After A Visit from St Nicholas by CLEMENT CLARKE MOORE]

The nicht afore Christmas an a roon the hoose
Naw yin thing was stirrin, naw even a moose
The socks were a hung bae the chimley wae care
Hopin Oul Santy would shane be doon there.

The weans wur a snuggled an warm wae their jars
A dreamin o toys an chocolate bars.
Wae the wife in her onesie an me in me kep
We were jist ower tae sleep when we woke frae oor nap:

A row in the garden laik neighin, or bayin,
Tuk a lep frae me scratcher tae see what wes daein.
Ower tae the windy A skited an slipped,
Threw bak the curtains that hard, they near ripped.

Seen a berdie oul boady, all dressed up in red,
An a lock o big reindeer aal pullin a sled;
Thon fat oul man drivin, stretched oot at haes aise
A knowed only Santy wud wear them rid claes

An then wae a whoosh they wur up on the roof,
Heerd the leppin an pawing of ivery hoof.
A pult in me heed, an looked aal aboot -
Whun doon fae the chimley Oul Santy stepped oot!

Dressed aal in rid, apairt frae his boot,
Haes claes wur aa clarried wae ashes an soot;
A clatter o toys in a bag on haes bak,
He grinned laik an eejit an lowsed haes sack.

Naw a myowt did he say but the stockins were fu,
An then he was done, up the chimley he flew,
Tappin his finger tae the side o haes neb,
He gin a big lauch, an got intae haes sled.

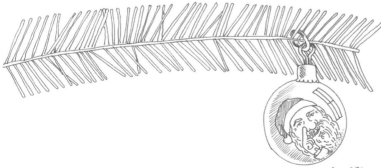

He gowled at the reindeer an shook haes lang baird
They sprachled an pachled for the sledge she was laired
"Gon Lilty and Laldy, gower Birler and Glunter,
Up Skitter an Scunger an Piesle an Dunther".

He pult oot his whup, an gin it a birl,
An away laik the win, wae a crack an a whirl!
But then he caad bak, as he flew ooty sicht –
"Happy Christmas tae aal, and tae aal, a guid nicht!"

The Messages

Me ma got aal oor shoppin, the wie the worl was then
Oor da was mair fer atin when aal haes work was dane
Oor pantry needed stockin frae the garden an the fiels
An ither stuff was got in toon or brought in on four wheels

The breedman broucht the breed an cakes the Beano an the Dandy
We swapped them wae wur cousins for the Bunty an the Mandy
Paris buns an fruit loaf, a Veda or a pan
Iced diamonds tae an biscuits, snowballs, whiles a flan.

A boady gowled oot "Herrin alli" but the fish he sowl wur deed
Nae milkman iver come tae oors, oor coos gin aal we'd need
The butcher's van aye missed us oot cas me Ma still laiked the shap
I think she knowed the butcher, even though he laiked a drap

We done it on a Setterday, we aal went tae the Toon
Me Ma was born in Cootoon an we aye caaled aroon
Tae see her Da an sisters, get her wee drap o tay,
We got buttered biccys an had tae goot 'n' play

An efter tay an efter play, the time had come aroon
We had tae get the shappin an we headed intae Toon
Union Street an Queen Street tae Victoria Street we wannered
Church Street tae the Main Street an Meetin Hoose we dannered.

Loaded wae oor cargo o aal the things we bought
They didnae seem that heavy, them lovely things we got
Baked beans an spaghetti an whiles spaghetti hoops
The odd tim peas an pear halves an tinned tomato soup.

We managed ower them pavements, but we niver stepped on lines
For tae dae that got ye blew up for it triggered big land mines.
We hopped an skipped an rin aboot an played oor silly game
For we had got wur messages an we wur aff fer hame.